Ce livre est un hommage à Jean-Paul L'Allier, maire de Québec de 1989 à 2005,
qui a consacré son savoir et scs énergies à la préservation et à la valorisation
de tout ce qui fait de notre ville une des plus belles d'Amérique.

Un hommage aussi à ceux qui s'impliquent quotidiennement à faire
de cette ville un milieu de vie et de beauté, dont Frances Caissie,
Robert Caron, Jacques Joli-Cœur et Henriette Thériault.

Design graphique : Josée Amyotte
Traitement des images : Mélanie Sabourin
Correction : Ginette Patenaude

Catalogage avant publication de Bibliothèque et Archives
nationales du Québec et Bibliothèque et Archives Canada

Lahoud, Pierre

    Québec : une capitale vue du ciel

    1. Québec (Québec) - Photographies aériennes. 2. Québec (Québec).
I. Dorion, Henri. II. Titre.

FC2946.37.V54 2008   917.14'47100222   C2008-940482-3

Pour en savoir davantage sur nos publications,
visitez notre site : **www.edhomme.com**
Autres sites à visiter : www.edjour.com
www.edtypo.com • www.edvlb.com
www.edhexagone.com • www.edutilis.com

Pour joindre les auteurs :
Henri Dorion : henridorion@videotron.ca
Pierre Lahoud : pierrelahoud@oricom.ca

03-08

Dépôt légal : 2008
Bibliothèque et Archives nationales du Québec

ISBN 978-2-7619-2337-8

DISTRIBUTEURS EXCLUSIFS :

• Pour le Canada et les États-Unis :
MESSAGERIES ADP*
2315, rue de la Province
Longueuil, Québec J4G 1G4
Tél. : 450 640-1237
Télécopieur : 450 674-6237
* filiale du Groupe Sogides inc.,
   filiale du Groupe Livre Quebecor Media inc.

• Pour la France et les autres pays :
INTERFORUM editis
Immeuble Paryseine, 3, Allée de la Seine
94854 Ivry CEDEX
Tél. : 33 (0) 1 49 59 11 56/91
Télécopieur : 33 (0) 1 49 59 11 33
Service commandes France Métropolitaine
Tél. : 33 (0) 2 38 32 71 00
Télécopieur : 33 (0) 2 38 32 71 28
Internet : www.interforum.fr
Service commandes Export – DOM-TOM
Télécopieur : 33 (0) 2 38 32 78 86
Internet : www.interforum.fr
Courriel : cdes-export@interforum.fr

• Pour la Suisse :
INTERFORUM editis SUISSE
Case postale 69 – CH 1701 Fribourg – Suisse
Tél. : 41 (0) 26 460 80 60
Télécopieur : 41 (0) 26 460 80 68
Internet : www.interforumsuisse.ch
Courriel : office@interforumsuisse.ch
Distributeur : OLF S.A.
ZI. 3, Corminboeuf
Case postale 1061 – CH 1701 Fribourg – Suisse
Commandes :   Tél. : 41 (0) 26 467 53 33
                Télécopieur : 41 (0) 26 467 54 66
                Internet : www.olf.ch
                Courriel : information@olf.ch

• Pour la Belgique et le Luxembourg :
INTERFORUM editis BENELUX S.A.
Boulevard de l'Europe 117,
B-1301 Wavre – Belgique
Tél. : 32 (0) 10 42 03 20
Télécopieur : 32 (0) 10 41 20 24
Internet : www.interforum.be
Courriel : info@interforum.be

Gouvernement du Québec – Programme de crédit d'impôt pour
l'édition de livres – Gestion SODEC – www.sodec.gouv.qc.ca

L'Éditeur bénéficie du soutien de la Société de développement
des entreprises culturelles du Québec pour son programme
d'édition.

Le Conseil des Arts du Canada
The Canada Council for the Arts

Nous remercions le Conseil des Arts du Canada de l'aide
accordée à notre programme de publication.

Nous reconnaissons l'aide financière du gouvernement du
Canada par l'entremise du Programme d'aide au développement de l'industrie de l'édition (PADIÉ) pour nos activités
d'édition.

Québec

*Une capitale
vue du ciel*

Henri Dorion
Pierre Lahoud

Québec

Une capitale vue du ciel

LES ÉDITIONS DE L'HOMME

Avant-propos

Voir la ville de Québec du haut des airs, c'est doublement se rapprocher du ciel. C'est un peu se prendre pour Dieu qui, dit-on, voit tout d'un seul coup d'œil. C'est voir grand. Photographier le pays de là-haut, c'est presque faire œuvre de création, car on révèle alors le contour des espaces, on met en exergue des formes qu'autrement on verrait peu ou prou. C'est, en un sens, réinventer le monde de l'image, cette seconde réalité aussi importante que la première. C'est aussi, en matière de méthode, placer la synthèse devant l'analyse, sans pour autant négliger cette dernière ; géographie oblige.

Ce livre propose un regard neuf sur une ville cent fois racontée, mille fois photographiée. C'est un peu le regard des oies blanches qui savent d'instinct que Québec est à mi-chemin entre le nord et le sud, entre l'été et l'hiver, que ce lieu privilégié est pour certaines d'entre elles une étape attendue, pour d'autres une première découverte et, pour les hommes, un lieu où se rencontrent tradition et modernité. Québec mérite d'être vu du ciel.

Pages précédentes: Émergeant d'une longue mémoire, Québec illustre par ses pierres et par ses rues la richesse de son passé autant que son dynamisme actuel.

D'abord érigé par la dynastie des Price, ce premier gratte-ciel de Québec donne le ton d'une architecture qui a su intégrer l'Art déco dans la constellation des toits verts.

Une ville de contacts

Samuel de Champlain avait vu juste : Québec devait être la **première ville française d'Amérique**, et elle devait devenir capitale, trait d'union entre la France et l'Amérique. À vrai dire, la géographie lui avait inspiré ce choix, car ce lieu qui, à plusieurs égards, participe de réalités voisines et différentes, est naturellement un **point de confluences**.

Le nom même de cette ville exprime sa situation. En parcourant le « chemin qui marche », les Micmacs avaient remarqué ce « **rétrécissement des eaux** », phénomène appelé *kebek* dans leur langue. Ce nom traduit une réalité géographique importante : à Québec commence l'estuaire moyen du Saint-Laurent. De tout temps, ce point de contact a conféré à ce lieu une position stratégique majeure, autant à l'époque des canotiers autochtones qu'à celle des navires de guerre français et anglais.

Lors de leur remontée du **grand fleuve** vers ce lieu privilégié, les découvreurs, explorateurs et autres voyageurs virent, de part et d'autre de leurs

Pages précédentes : Québec exprime sa position géographique par son nom lui-même qui signifie « rétrécissement des eaux » en langue micmaque.

Comme deux navires qui se suivent, la colline de Québec et l'île d'Orléans ont autrefois partagé le même sort insulaire. Mais il y a de cela des milliers d'années.

navires, deux horizons montagneux leur faire cortège. À bâbord, c'est-à-dire du côté sud, des montagnes plutôt sages, ourlées d'une lisière littorale de plus en plus généreuse en avançant vers l'ouest. À tribord, un fier massif toujours imposant, ténébreux et peu généreux pour ceux qui auraient voulu s'installer entre mer et montagne. Ces reliefs qui flanquent le Saint-Laurent, du golfe jusqu'à Québec, ce sont les **Appalaches** au sud et le **Bouclier canadien** au nord. C'est à Québec que ces grands ensembles géographiques s'écartent pour laisser place à la **plaine du Saint-Laurent** qui va s'élargissant vers l'ouest.

De ce fait, Québec est le seul endroit où l'on peut voir à la fois les trois grandes zones géographiques du nord-est de l'Amérique du Nord. Il faut monter à l'Observatoire de la Capitale, au sommet de l'**édifice Marie-Guyart**, pour admirer ce rendez-vous géologique exceptionnel. Sait-on que la Haute-Ville

Au sommet de l'édifice Marie-Guyart, l'Observatoire de la Capitale offre aux visiteurs une vue à 360° de la région de confluence qu'est celle de Québec. Montez, pour voir.

Rétrécissement des eaux, en effet, le premier en remontant le fleuve.

trône sur le dernier crêt des Appalaches, que la Basse Ville occupe les derniers espaces de la plaine du Saint-Laurent et que les banlieues nord de Québec s'accrochent aux contreforts du Bouclier canadien? Aucune autre ville n'a ce privilège.

À cheval sur des structures géologiques différentes, Québec, comme Budapest, Prague, Genève et d'autres villes prestigieuses, se paie le luxe d'être une **ville à deux étages**. Pour réconcilier ces deux niveaux qui, comme dans plusieurs villes européennes du XVIIIe siècle, se sont distingués par leurs différences sociales, de nombreuses côtes et escaliers grimpent dans la falaise qui entoure ce **Gibraltar d'Amérique**. Contacts entre les deux étages de la ville, à l'image des contacts qu'elle symbolise entre régions géographiques, entre époques historiques, entre langues et religions, entre continents aussi, car cette ville n'est-elle pas, comme tout le Québec, une **presqu'Amérique**? «Les pieds en Amérique, la tête en Europe», disent certains.

L'agglomération métropolitaine de
Québec occupe la dernière pointe du
triangle que forment les basses terres
du Saint-Laurent, entre le Bouclier
canadien et les Appalaches.

1. Rivière Saint-Charles
2. Pulperie
3. Bouclier canadien
4. Élévateurs Bunge
5. Château Frontenac
6. Traverse de Lévis
7. Garde côtière canadienne
8. Cap Diamant
9. Plaines d'Abraham
10. Parlement

Le cap Diamant, pierre précieuse
oblige, est serti d'un double ourlet:
à son pied, le pittoresque quartier
linéaire de Notre-Dame-de-la-Garde;
à son sommet, le quartier militaire.

Qu'est-ce qui fait que
les pistes de ski de
Lac-Beauport bénéficient
d'un enneigement que les
environs espèrent encore?
Réponse: la technologie
des canons à neige.

Une ville de longue mémoire

Une ville géographique

Quel savant artiste a donc créé l'œuvre d'art qu'est Québec? Ce fut assurément un **grand architecte paysagiste** qui a su utiliser avec art et méthode des éléments dont l'harmonieuse synthèse demandait du génie. Amener deux blocs montagneux à se rejoindre presque, y faire couler un grand fleuve issu du fond d'un continent, y planter une île pour bien marquer ce point béni où le fleuve commence sa métamorphose jusqu'à l'état d'estuaire, puis de golfe, puis de mer, et enfin, sculpter un cap, un fier promontoire pour admirer ce lieu de **royale confluence**, voilà l'œuvre d'un Artiste qui mérite sa majuscule.

Avec un esprit de synthèse remarquable, la nature a fait de cette portion de pays un laboratoire où elle a savamment disposé les éléments nécessaires à une démonstration raisonnée de l'évolution de la croûte terrestre. Toutes les époques géologiques y sont représentées: la lourde masse du Bouclier canadien composé des **plus vieilles roches** de la planète ferme l'horizon au nord de la ville, alors que, au-delà des alluvions de la plaine, presque aussi récente que

Pages précédentes: Québec, une capitale à deux étages.

Un cap, une ville à deux étages, un goulet fluvial, un commencement de plaine entre deux chaînes de montagnes, tel est Québec dont le site, autant que sa situation, en fait une ville essentiellement géographique.

l'occupation humaine, s'étalent les Appalaches, dont les plissements de l'ère secondaire s'exhibent sur le flanc du **cap Diamant**. Ce promontoire au nom inexact (car les diamants que Jacques Cartier avait cru y apercevoir n'étaient que du **quartz**), dominant fièrement le premier véritable resserrement du fleuve rencontré depuis son embouchure, fait de ce lieu privilégié un site emblématique dont les Européens, ainsi que les Amérindiens, ont reconnu le potentiel de défense et de référence géographique.

Le rocher de Québec exhibe ses entrailles, témoignant de sa longue histoire minéralogique : les parois du cap constituent une étrange fresque minérale faite de plis en forme de rinceaux et de strates plus ou moins rectilignes qui s'offrent à la savante étude des géologues.

Voilà une **ville-laboratoire** où l'on peut facilement observer une large gamme de reliefs et faire l'autopsie du corps rocheux de l'*île* de Québec. Eh oui ! La Haute-Ville de Québec et son prolongement vers l'ouest ont déjà constitué un bloc insulaire, comme sa sœur d'aval, l'île d'Orléans. C'était lors de la dernière étape du retrait de la mer de Champlain nourrie de la fonte du glacier qui avait recouvert le pays, il y a de cela de 10 000 à 15 000 ans.

Le laboratoire se prolonge à l'est de la ville où une chute d'eau illustre le travail d'érosion d'une rivière, la **Montmorency**, qui a creusé allègrement les schistes, mais péniblement les roches très dures du Bouclier. Tous les éléments s'y retrouvent pour illustrer, preuves à l'appui, les savants processus naturels qui

Sur la pointe du cap Diamant, se dressent fièrement et se côtoient les édifices qui représentent les trois pouvoirs : civil, militaire et religieux.

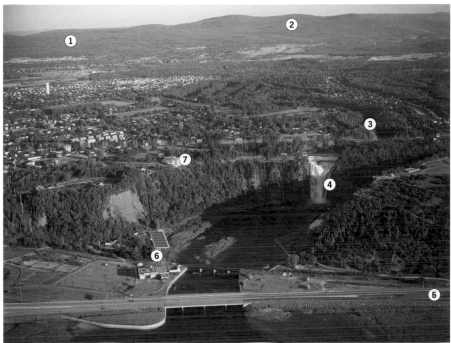

1. Bouclier canadien
2. Montagne des Trois-Sommets
3. Rivière Montmorency
4. Chute Montmorency
5. Vers Sainte-Anne-de-Beaupré
6. Téléphérique
7. Manoir Montmorency

La chute Montmorency souligne nettement et
majestueusement la ligne de faille qui sépare le
Bouclier canadien des basses terres du Saint-Laurent.

Y a-t-il meilleur moyen d'évaluer la hauteur de la chute Montmorency que de gravir le long escalier accroché à l'épaisse couche de schistes qu'elle a décapée? Bon courage!

Construit pour permettre aux ouvriers de la Basse-Ville d'accéder à l'ancienne usine de munitions située 400 marches plus haut, l'escalier du Cap-Blanc sert aujourd'hui surtout aux joggeurs.

Depuis sa construction en 1868, le plus long des trente escaliers qui relient les deux étages de la ville a été reconstruit plusieurs fois, à cause des petits trémoussements du cap Diamant.

Une ville historique

Presque toutes les villes sont des palimpsestes, ces manuscrits dont on masquait sans cesse les écritures pour y réécrire de nouveaux textes. Il faut gratter, décoder, reconstituer les messages, et l'on découvre alors la richesse de ce que les époques successives y ont inscrit. Québec est un palimpseste. Ses pierres, déjà dotées d'une **longue mémoire géologique**, ont acquis, par l'agencement qu'en ont fait les hommes, une seconde mémoire inscrite dans les murs des maisons et les murailles de la ville.

Québec est ainsi ponctué des témoignages de quatre siècles d'une histoire qui connut quelques épisodes violents, mais qui fut en général *un long fleuve tranquille*. Les murailles, la citadelle, les édifices militaires témoignent davantage de la crainte des invasions et des soulèvements que d'une réelle activité guerrière. Peut-être davantage que dans les pierres, celle-ci est consignée dans la **toponymie** : parc des Champs-de-Bataille, parc des Braves, parc de l'Artillerie, rue de l'Arsenal, rue des Remparts, paroisse Notre-Dame-des-Victoires, quartier Montcalm…

Quant aux architectures civile et religieuse, elles ont enrichi la ville de repères qui évoquent les étapes du développement de ce poste fondé en 1608, devenu bourgade, puis comptoir, garnison, village, ville, capitale enfin. La basilique-

Un autre escalier ! Trente marches seulement séparent la place de Paris de la place Royale, mais la distance entre les styles de leurs monuments respectifs est plus grande…

cathédrale Notre-Dame-de-Québec et la cathédrale anglicane Holy Trinity illustrent à merveille l'historique dualité religieuse de Québec comme le font, sur un registre plus modeste mais tout aussi éloquent, l'église Chalmers-Wesley et le sanctuaire Notre-Dame du Sacré-Cœur, deux temples qui se font face dans la rue Sainte-Ursule, à proximité de l'historique couvent des Ursulines.

En ce qui a trait à l'enseignement, le Séminaire de Québec, fondé en 1663 par Mgr de Laval, la plus ancienne institution d'enseignement supérieur au Canada, et le Morrin College qui, deux siècles plus tard, en fut l'équivalent anglophone avant de devenir une prison, puis une bibliothèque et, à ce titre, le cœur culturel des anglophones de Québec, arborent tous deux une architecture sobre, propre à leurs traditions respectives.

Quant à l'architecture militaire, il est à noter que les fortifications de Québec résultent en quelque sorte de l'intention britannique et de la technique française, puisque c'est en s'inspirant du génie de Vauban que les autorités de l'époque ont muré la vieille ville pour la défendre contre une éventuelle invasion en provenance du sud.

L'ensemble des fonctions résidentielle, hospitalière, éducative, administrative et religieuse a conféré à Québec de multiples visages, enrichis par les différences entre les styles propres à deux époques, la française et la britannique. On simplifie sans doute les choses en affirmant que Québec a d'abord adopté une architecture *à la française* et ensuite une architecture *à l'anglaise*. Il reste que la Nouvelle-France a d'abord vu fleurir dans les rues de Québec le classicisme français, davantage élégant que monumental, alors que la mode palladienne, néoclassique, a pourvu Québec d'intéressants exemples. Le

Très semblable à la maison normande, la maison des Jésuites, à Sillery, est considérée par plusieurs comme la plus ancienne du Canada.

plus célèbre est la cathédrale anglicane Holy Trinity, bien différente des petits temples protestants attachés à un néogothique qui indiquent, comme un peu partout au Québec, une présence britannique aujourd'hui évanescente. Il faut dire que les deux époques ont légué, dans des proportions variables, des constructions de styles néoclassique et néogothique. Plus récemment, des synthèses stylistiques ont trouvé ailleurs leur inspiration, par exemple l'hôtel de ville qui, à cet égard, ne manque pas d'originalité.

Mariée au fleuve qui la baigne, la Basse-Ville, lieu des premières installations françaises, en a conservé un souvenir concret, depuis la Maison des Jésuites à Sillery, considérée comme la plus ancienne maison du Canada, jusqu'aux vieilles demeures de la place Royale, représentatives des constructions de la Nouvelle-France. Par la suite, la présence britannique importa à Québec une manière de bâtir maison qui a laissé son empreinte dans plusieurs rues de la Haute-Ville. La mixité des styles, qui fait le charme du Vieux-Québec, s'est par exemple manifestée par la proximité de la basilique catholique et de la cathédrale protestante qui proclamaient symboliquement leur importance respective par la hauteur de leurs flèches.

Ces œuvres de pierre, heureusement conservées en hommage à l'esprit des lieux, sont de précieux antidotes à l'amnésie urbaine. La création de quatre arrondissements historiques – Vieux-Québec, Charlesbourg, Beauport, Sillery – interpelle la mémoire collective avec une densité particulière. Il faut ajouter qu'aux portes de la ville, l'île d'Orléans greffe son témoignage, celui d'un Québec rural intimement complémentaire à la ville et à ses besoins. Québec, une ville de mémoires ; mémoire géologique et mémoire historique.

Aujourd'hui un musée du meuble et de l'habitat traditionnel, la maison Chevalier a été, au XVIIIe siècle, la demeure d'un riche marchand et, tout au long du XIXe siècle, une auberge sélecte, la London Coffee House.

Deux rues voisines, Saint-Denis
et Sainte-Geneviève, évoquent le
souvenir de l'ancienne mère patrie :
la première rappelle la basilique où
reposent les rois de France ;
la seconde, la sainte patronne
de Paris.

La mémoire collective est faite
de mémoires individuelles.
Les cimetières en sont l'intime
démonstration, comme celui-ci,
le cimetière Saint-Patrick, à Sillery.

En 2005, on découvrait enfin, près du viaduc
ferroviaire de Cap-Rouge, à l'ouest de Québec,
un site archéologique qui a révélé une occupation
amérindienne, en plus des traces de la présence de
Cartier et de Roberval. Une découverte majeure.

Le domaine Cataraqui, à Sillery,
est un des fleurons de l'architecture
britannique du XIXe siècle à Québec.
Personnages politiques et riches
marchands ont doté le domaine
d'aménagements qui en ont fait
un des rares jardins historiques du
Québec. Il est judicieusement destiné
à devenir une école d'hôtellerie.

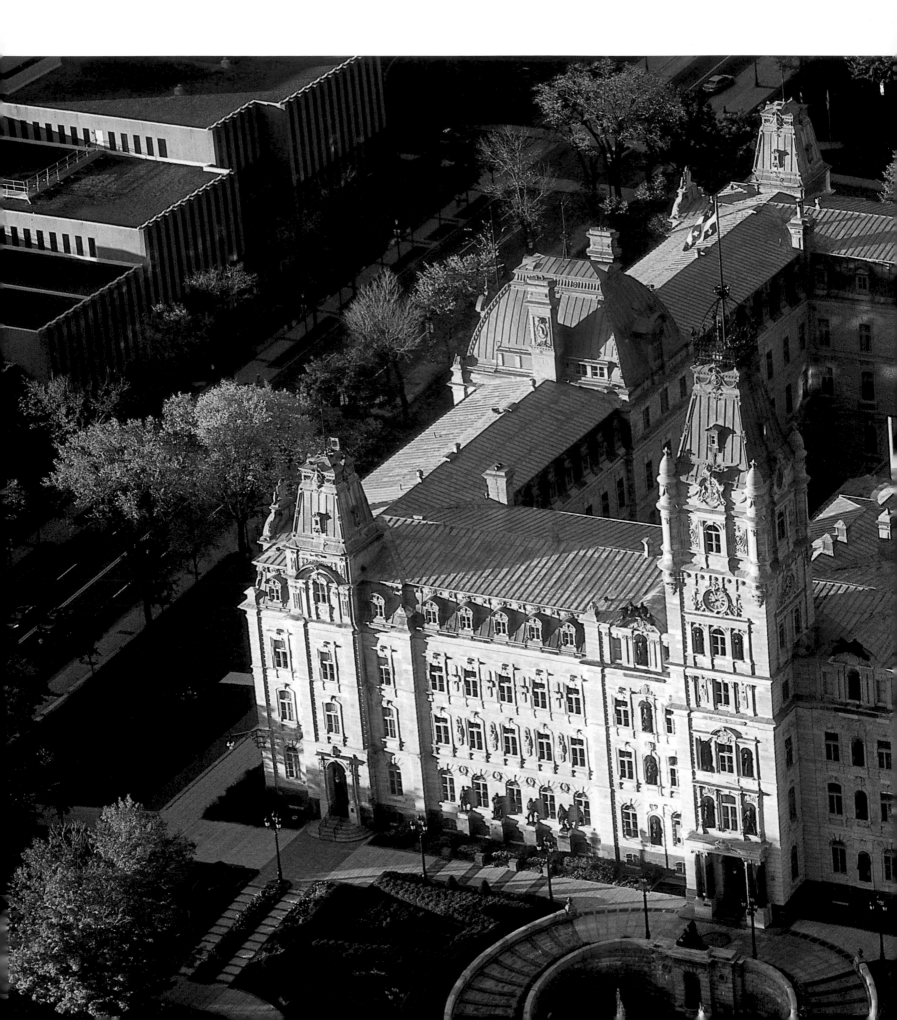

Une ville de pouvoir

Une ville militaire

Une ville, pour vivre, pour survivre, doit se défendre contre vents et marées. L'Histoire est ainsi faite : la guerre est un mal apparemment inévitable et l'armée, de ce fait, une solution inévitable et nécessaire. Voilà pourquoi les villes doivent s'équiper en conséquence. Les territoires découverts et conquis par les Européens à partir du XVIe siècle furent considérés comme des *terrae nullius*, « n'appartenant à personne », comme si les Autochtones n'étaient pas des êtres humains ! Les nouveaux maîtres du pays voulurent se protéger d'autres conquérants éventuels et c'est ainsi que, ici comme ailleurs dans le monde, des ouvrages de défense furent construits dans des formes relevant de l'art autant que de l'architecture. N'échappant pas à la règle, Québec est devenu **une ville à visage militaire**, et les vestiges des aménagements, pour inutiles qu'ils se soient heureusement révélés, ornent aujourd'hui la Vieille Capitale.

Pages précédentes : L'Hôtel du Parlement de style Second Empire, chef-d'œuvre d'Eugène-Étienne Taché, n'aurait pas déparé le paysage des bords de la Seine.

Le champ de bataille est devenu un parc de repos, la tour Martello ne joue plus aucun rôle défensif, la Citadelle sert aujourd'hui surtout à accueillir de temps en temps le gouverneur général du Canada, mais l'histoire reste quand même gravée dans ces lieux.

La **Citadelle**, projet conçu à l'origine par les Français pour résister aux Anglais mais qui n'avait pas été réalisé quand ces derniers arrivèrent, fut finalement construite par les Anglais pour résister aux Américains qui, eux, n'arrivèrent jamais. Paradoxalement, cette enceinte construite de 1820 à 1832 s'est inspirée des fortifications du plus grand ingénieur militaire de France, le marquis de Vauban. **Murailles, bastions, fossés, portes** et **courtines** composent une savante synthèse défensive où se sont conjugués l'architecture et le génie militaire. C'est de l'**Observatoire** de la Capitale que se révèle le mieux l'astucieuse conception de cet ensemble, car, de là-haut, on en perçoit la logique et son intégration dans la physionomie des lieux.

La crainte de l'envahisseur américain justifia la construction, à la même époque, de quatre **tours Martello**, dont trois subsistent, deux dans la Haute-Ville et l'autre dans la Basse-Ville, décorant les lieux de leur belle inutilité militaire. Et puis, pour compléter le décor militaire de la ville, quatre **portes magistrales** percent les murs de la cité. Au risque de décevoir les amants des vieilles pierres, précisons que la plus célèbre de ces portes, la porte Saint-Jean, a été érigée, dans sa forme actuelle, en 1939. Mais ce n'est pas la plus récente : l'actuelle porte Prescott, dans la **côte de la Montagne**, fut inaugurée en 1983, à l'occasion du 375e anniversaire de la fondation de la ville de Québec.

Si l'ensemble de ces portes et murailles a traversé les derniers siècles en résistant aux pics des démolisseurs, qui ailleurs se sont attaqués à des vestiges riches

Chaque fossé, chaque angle, chaque redan de la Citadelle a une fonction précise et géométriquement calculée... en cas d'attaque.

d'histoire, c'est grâce à l'aura romantique qui s'en dégage. D'aucuns croient que cela a influencé Lord Dufferin, gouverneur général du Canada, qui en imposa la conservation.

La ville est parsemée de vestiges de son passé militaire : la redoute Dauphine, les casernes et leur arsenal, la Batterie royale, les poudrières de l'Esplanade et du monastère des Augustines, et les différentes composantes des **lieux historiques nationaux** des Fortifications-de-Québec et du Parc-de-l'Artillerie. D'autres endroits conservent la mémoire du passé militaire de Québec, par exemple les plaines d'Abraham où, en 1759, le sort de la Nouvelle-France se joua entre Wolfe et Montcalm. Là, comme sur les remparts, s'alignent des canons pointés pour la plupart vers un hypothétique ennemi extérieur, mais certains sont tournés vers la ville d'où auraient pu surgir des citoyens révoltés contre le pouvoir britannique. Mais aucun boulet n'en est jamais sorti. Aujourd'hui, les activités militaires se concentrent dans le Manège, d'un certain intérêt architectural, et à la base de Valcartier située au nord de la ville, dont l'utilité se manifeste le plus souvent à l'étranger, loin des casernes.

Pour faire pendant au témoignage silencieux des *pierres d'armes*, la tradition militaire de Québec est soulignée depuis quelques années par son Festival international de musiques militaires qui est en train d'acquérir une renommée enviable, de quoi valoriser le paradoxe du bon ménage que l'art sait faire avec l'armée festive.

Hôtels, restaurants et ministères donnent sur la
Grande Allée, les Champs-Élysées de Québec.
Le Manège militaire, au premier plan, en est
un peu plus éloigné. Symbolique ?

Vu des airs, le plan de la Citadelle révèle mieux le génie militaire de Vauban dont se sont inspirés les ingénieurs britanniques pour doter Québec d'une des plus parfaites citadelles d'Amérique.

Après plus de deux siècles de sommeil et d'oubli sous divers bâtiments, la Batterie royale a été reconstituée et témoigne du génie militaire français.

Le système défensif de Québec comporte divers types de constructions et d'aménagements qui justifient l'appellation de ville militaire. Le parc de l'Artillerie en constitue un des éléments majeurs : il raconte pas moins de trois siècles d'histoire.

Une ville administrative

Québec, ville pacifique au passé militaire, possède aujourd'hui son armée de fonctionnaires. Ah ! l'administration, ce « mal nécessaire » ! disent certains. D'autres la considèrent comme l'art du possible. C'est plutôt le système permettant de valoriser les potentialités, disent… les administrateurs. À chacun son opinion. Une chose est certaine, la fonction administrative est l'incontournable mission d'une capitale, et la ville l'exprime par ses pierres, ses activités, ses oriflammes, ses symboles. Car, ici, les symboles ont leur importance et les édifices coiffés du drapeau fleurdelisé sont plus nombreux qu'ailleurs.

Il en va de même pour les personnages repères. Nulle part ailleurs peut-on voir un aréopage aussi riche de ces « gens qui ont fait le pays », que celui qui orne la façade de l'Hôtel du Parlement. L'architecte de cet édifice de style Second Empire, Eugène-Étienne Taché, y a disposé dans leurs niches vingt-deux personnages, découvreurs, militaires, gouverneurs et femmes d'église qui, tels des mânes protecteurs, regardent fièrement la ville murée qui se déploie à leurs pieds. Un panthéon des gloires nationales, une petite encyclopédie de pierre et de bronze.

Outre la colline Parlementaire qui abrite et symbolise le pouvoir avec ses nombreux ministères, sa cohorte de personnages statufiés et sa promenade des Premiers-Ministres, il est, au cœur du Vieux-Québec, un autre lieu-

Des trois niveaux de gouvernement, le plus proche de la population est le municipal ; l'hôtel de ville est symboliquement situé au cœur de la cité. Symbolique aussi est son style composite, miroir de la diversité des composantes historiques de Québec.

synthèse : la **place de l'Hôtel-de-Ville**. La variété des fonctions urbaines représentées dans cette place aux dimensions modestes est annoncée par l'éclectisme de l'édifice même de l'hôtel de ville : un peu de Second Empire, un peu de néoroman, un peu de style Château, à l'image de la fonction politique dont le rôle est de gérer la complémentarité des autres fonctions.

Lui fait face la **basilique** qui, vue de la place, cache l'**archevêché** et le **séminaire** qui la jouxtent. Celui-ci ajoute à la fonction religieuse de cet ensemble la mission d'enseignement qu'il a remplie dès les premiers temps de la

Comme dans la vie des États, les pouvoirs militaire et civil se regardent de biais. Ainsi sont disposés, sur la colline parlementaire, le Manège militaire et l'Hôtel du Parlement.

La façade de l'Hôtel du Parlement en fait l'édifice le plus généreusement historié du Québec: vingt-deux personnages politiques, militaires et religieux y occupent autant de niches. Une architecture didactique et éloquente.

colonie, puisqu'il est l'œuvre du premier évêque du Canada, Mgr de Laval. En interstices, entre ces édifices de prestige, s'étend une chaîne de commerces dont les étages supérieurs sont, pour plusieurs, occupés par des citoyens bien placés pour admirer cette savante synthèse.

Le rôle de capitale, la fonction portuaire, de même que la gamme de services que doit y assurer l'appareil gouvernemental, ont valu à Québec le titre de «ville de fonctionnaires». Et cela se voit. L'édifice de la Douane, l'ancien Palais de justice, l'ancien bureau de poste, voilà des noms qui riment avec «autrefois», mais qui ont laissé des immeubles qui enrichissent le patrimoine bâti. Les profils géographique et social de Québec en font une «ville à deux étages». L'administration, cette mécanique du pouvoir, y a pour sa part construit trois étages, puisque les gouvernements municipal, provincial et fédéral y sont physiquement représentés pour exercer leurs juridictions respectives.

Cela dit, les édifices du gouvernement du Québec sont les plus nombreux ; fonction de capitale oblige. Tous les ministères y tiennent, pour ainsi dire, feu et lieu, même si plusieurs ont à Montréal des succursales plus importantes que leur maison mère ; fonction de métropole oblige.

Quant aux édifices du gouvernement fédéral, ils permettent d'assurer les services décentralisés de niveau national correspondant aux juridictions respectivement concernées : postes, douanes, port, garde-côtes et parcs, dont celui des Champs-de-Bataille, le plus grand de la ville. Son importance tient autant à la charge historique qui l'imprègne qu'à sa fonction ludique, largement utilisée en toute saison.

Les édifices municipaux, aussi diversifiés que le sont les services de proximité, ont récemment connu une mutation de fonctions pour s'adapter aux réalités de la nouvelle ville de Québec qui a intégré les territoires (et les services) d'une dizaine de municipalités périphériques de l'ancienne Communauté urbaine.

Aux trois étages de l'administration gouvernementale s'ajoutent les nombreux organismes paragouvernementaux, religieux, militaires, caritatifs et économiques constituant des pyramides administratives qui se juxtaposent, se superposent et parfois s'entremêlent. Une vaste toile.

Dans un ultime effort pour résister à l'armée britannique, on construisit les Nouvelles casernes à la toute fin du régime français, mais ce sont finalement les Britanniques qui les utiliseront davantage. Ces casernes seront éventuellement rénovées.

D'or et d'argent: pouvait-on mieux choisir
les matériaux d'un édifice abritant
le ministère du Revenu?

Même période (milieu-fin du XIXe siècle), même niveau
de fonction (services fédéraux), même style
(colonnade néoclassique avec éléments néo-baroques),
voilà qui donne à l'édifice de la Douane et
à l'ancien Bureau de poste des airs de famille.

Une allée piétonne, judicieusement
située le long de l'«Aile du premier
ministre», a été récemment aménagée
par la Commission de la Capitale
nationale pour illustrer, à l'aide de
panneaux d'interprétation, les
réalisations respectives des premiers
ministres du Québec.

Une ville religieuse

L'homme ne vit pas seulement de pain. Voilà une évidence que la civilisation gréco-latine a attribuée à la Bible. Pourtant, elle vaut pour toutes les sociétés car, des plus primitives aux plus complexes, aucune ne peut faire l'économie du sacré. Les manifestations concrètes de cette constante sont infiniment variables, depuis les amulettes accrochées aux épinettes de la taïga jusqu'aux cathédrales.

Au Québec, les signes visibles du sacré qui ponctuent le paysage se répètent de village en village et de ville en ville : **clochers pointés vers le ciel**, chapelles en position de repères entre champs et villages ou blotties entre les ombres d'édifices profanes, églises et basiliques témoignant par leurs dimensions de l'importance de la pratique religieuse et du pouvoir qui l'a encadrée jusqu'à tout récemment.

Le déclin de la pratique religieuse se manifeste lentement par une métamorphose du paysage. Québec, dont le ciel est encore aujourd'hui davantage ponctué de clochers que de cheminées d'usines, demeure une ville-musée déclinant une large gamme de repères religieux. Quiconque gravit la côte de la Montagne, la toute première rue à relier la **Basse-Ville** à la **Haute-Ville**, découvre au sommet de cette voie bien pentue l'élégante fausse façade de l'archevêché, symbole du pouvoir religieux dont la ville est profondément investie. Les balises

Cathédrale depuis 1674, la basilique de Notre-Dame-de-Québec est le fleuron du patrimoine religieux québécois : elle constitue l'heureuse synthèse des contributions de plusieurs architectes et sculpteurs prestigieux, dont la célèbre dynastie des Baillairgé.

de ce pouvoir qui marquent Québec et ses environs sont de tous les gabarits. Du côté des témoins majeurs, la basilique **Notre-Dame-de-Québec**, une construction « familiale » à laquelle ont contribué trois générations de sculpteurs-architectes (les Baillairgé), rivalise de hauteur avec sa voisine, la **cathédrale anglicane** Holy Trinity.

Ces hauts lieux du culte traduisent la dualité de l'histoire ethno-religieuse de Québec dont une des composantes, l'évangélisation des autochtones, a aussi ses témoins, telle la modeste et jolie **chapelle de Wendake** dans le village des Hurons-Wendat. Entre ces extrêmes s'égraine un long chapelet d'églises de tous les styles, qui ont longtemps constitué les points de rassemblement social et religieux des fidèles de l'agglomération urbaine de Québec et dont une vingtaine ont, jusqu'à nos jours, conservé leur vocation. Plusieurs témoins d'une ferveur passée ont trouvé une nouvelle fonction, alors que d'autres ont tout simplement disparu, remplacés par des immeubles d'habitation, souvent des foyers pour personnes âgées. Dieu laisse progressivement sa place aux hommes.

La vérité historique nous oblige à reconnaître que le pouvoir religieux peut se glorifier de n'avoir pas été que religieux. Les institutions d'enseignement ont longtemps été dirigées par des gens d'église et la géographie de la ville en témoigne. Le **Petit Séminaire**, un collège d'enseignement secondaire,

Au moins par sa hauteur, la cathédrale anglicane Holy Trinity se devait de rivaliser avec la basilique catholique, sa voisine. Comme cette dernière, elle est d'inspiration européenne, rappelant la sobriété de l'église londonienne de St. Martin-in-the-Fields.

a conservé son nom ecclésiastique d'origine. Le couvent des Ursulines, une des institutions majeures d'enseignement pour jeunes filles, a aussi, dès sa fondation en 1639, bien affiché par son nom sa vocation religieuse. Nombreux sont les témoignages d'un fait historique : les religieux et les religieuses ont réalisé une mission essentielle d'éducation et de santé. Si les hôpitaux de Québec sont aujourd'hui complètement sécularisés, leurs noms témoignent de leur ascendance religieuse : Hôtel-Dieu, Saint-Sacrement, Saint-François-d'Assise, L'Enfant-Jésus. Voilà la litanie du monde hospitalier de la capitale.

Cette sanctification toponymique se manifeste d'ailleurs dans de nombreux domaines : caisses populaires, institutions d'enseignement, bibliothèques et équipes sportives sont souvent désignées par des noms d'origine religieuse, leur administration ayant été fonctionnellement liée à la vie paroissiale. Et que dire de l'odonymie (noms de rues) ? En 2002, 20 p. 100 des rues de Québec étaient désignées par un nom de saint, comme dans 40 p. 100 des municipalités de la province.

Les toponymes, c'est une règle, survivent au contexte de leur origine. Cette survivance s'appuie en partie sur le fait que la religion n'est pas morte. Le dimanche est encore pour plusieurs le «jour du Seigneur». Les paroissiens, croyants ou non, pratiquants ou non, en général s'acquittent encore de la dîme. Mais il faut bien admettre que le défilé du carnaval est aujourd'hui plus populaire que la procession de la Fête-Dieu, autrefois si profondément ancrée dans la tradition. Et si la belle basilique de Sainte-Anne-de-Beaupré, située à 30 kilomètres de Québec, attire encore les pèlerins en grand nombre,

Au cœur du Vieux-Québec, depuis les débuts de la colonie jusqu'à aujourd'hui, les Ursulines ont développé un véritable complexe multifonctionnel : monastère, collège, chapelle, musée, centre de documentation.

le phénomène a pris une teinte touristique qui masque avec peine le déclin de la pratique religieuse.

Cela dit, il ne faut oublier que le pouvoir religieux a longtemps fait bon ménage avec le pouvoir politique. La géographie de la ville de Québec en a mémoire : droit devant elle, dans la Haute-Ville où se concentrent tous les pouvoirs, la basilique regarde son homologue administratif, l'hôtel de ville, et aperçoit, au-delà des murs que le pouvoir militaire a inutilement mais joliment déployés, son homologue politique, l'Hôtel du Parlement.

Québec, **une ville encore religieuse**.

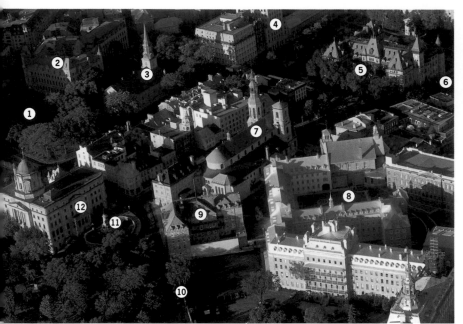

1. Place d'Armes
2. Ancien Palais de Justice
3. Cathédrale de Holy Trinity
4. Édifice Price
5. Hôtel-de-ville
6. Côte de la fabrique
7. Basilique Notre-Dame-de-Québec
8. Séminaire de Québec
9. Palais épiscopal
10. Remparts
11. Monument à Mgr de Laval
12. Ancien Bureau de poste

Autour de la place de l'Hôtel-de-Ville s'ordonne une véritable
synthèse de la Vieille Capitale : édifices des trois niveaux
de gouvernement, temples des deux religions principales
du pays, complexe d'enseignement multiniveaux du
Séminaire, et, au travers, des commerces et des logements.

Il faut entrer dans l'église de Saint-Jean-Baptiste,
dont l'extérieur affiche un heureux mélange
de styles, pour goûter la perfection sonore
de ses grandes orgues classées.

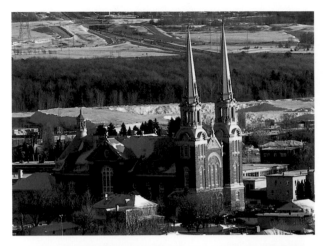

Comme des doigts pointés vers le ciel,
vers Celui que ces édifices honorent,
des clochers de tous les styles balisent
le réseau des paroisses de la ville.

Une ville de **POUVOIR**

La maison généralice des Sœurs
de la Charité, une oasis de repos
et de prières pour ces religieuses qui se
sont consacrées à des œuvres éducatives,
hospitalières et caritatives.

Les Augustines, parallèlement aux bonnes
œuvres auxquelles elles se consacrent
depuis trois siècles, ont fait de l'Hôpital
général, peut-être le plus ancien bâtiment
du Québec, un haut lieu de conservation du
patrimoine religieux.

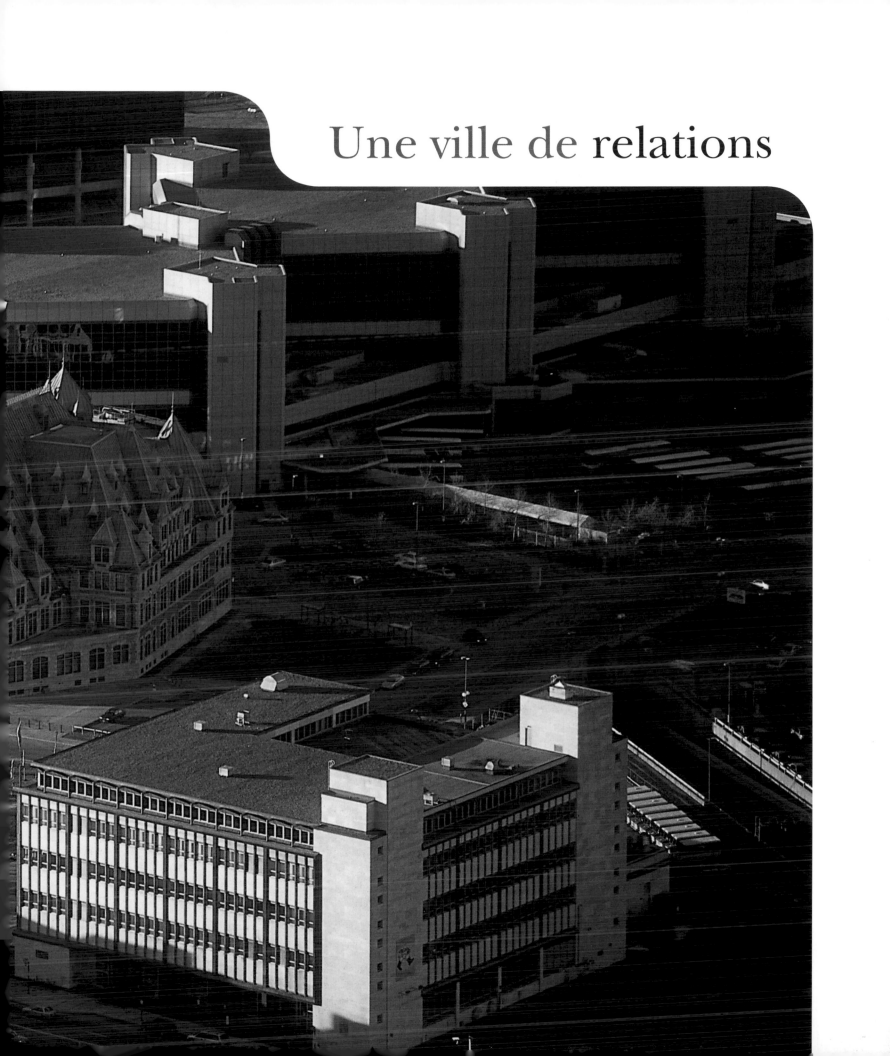

Une ville de relations

Une ville de communications

À l'image de l'être humain, une ville est un être social. Elle dépend des autres, et d'autres en dépendent. Elle est donc, à divers égards, un nœud de communications, un lieu de contacts et d'échanges, d'arrivées et de départs qui nourrissent la vie de la ville qui, à son tour, se prolonge chez ses voisins et ses partenaires, même lointains. Le nom de Québec, ce « rétrécissement des eaux », traduit depuis toujours la vocation de ce lieu à devenir un « carrefour de relations ».

Si Québec est à la fois ville-terminus et ville-étape, elle le doit d'abord au fleuve Saint-Laurent, porte d'entrée des découvreurs et des explorateurs européens, de même que des voyageurs des quatre coins du monde qui, à l'instar des oiseaux migrateurs, ont vu dans la région de Québec un lieu d'installation ou de ressourcement. Dès le XVIIe siècle, voiliers puis vapeurs y amenaient biens et personnes, et en exportaient diverses ressources, à commencer par les fourrures.

Pages précédentes : La gare intermodale intègre les styles respectifs de l'ère du train et de celle de l'autocar. Au premier plan, comme pour faire le lien entre les styles et les fonctions, l'ancien édifice de Postes Canada.

Le pont de Québec et le pont Pierre-Laporte : des jumeaux non identiques. Le premier est le plus long pont cantilever au monde ; le second, le plus long pont suspendu au Québec.

Plus tard, cargos et paquebots de croisière se mirent à y jeter l'ancre grâce à des aménagements portuaires où la préoccupation esthétique a récemment fait son apparition. Québec est un relais souvent obligé des marchandises qui ont traversé l'Atlantique ou s'apprêtent à le faire. De saison en saison, les céréales des Prairies remplissent les élévateurs à grains du bassin Louise, le pétrole de la mer du Nord alimente la raffinerie de Saint-Romuald, le granit de Rivière-à-Pierre et des marchandises en provenance de soixante pays garnissent les quais de l'anse au Foulon.

Mais que font ces navires qui se contentent de réduire leur erre à la vue du cap Diamant? Résistent-ils à la tentation d'accoster à l'ombre d'une si noble citadelle? Pas vraiment: c'est une prudence d'un autre ordre qui intervient. La réalité est que les pilotes du Saint-Laurent se relaient pour partager les difficultés et les pièges du fleuve, et c'est devant Québec qu'ils se remplacent. Hauts-fonds, récifs, îles et rapides parsèment ce parcours et se marient aux glaces hivernales pour raffermir les défis dont sont chargés les énormes atouts qu'il recèle. En quelque sorte, Québec bénéficie des dangers du Saint-Laurent.

Axe vital de communication d'ouest en est (du sud-ouest au nord-est, pour être plus précis), le fleuve est d'une certaine manière aussi un obstacle, une limite entre les deux régions qu'il baigne au nord et au sud, et c'est à Québec que revient l'honneur de réunir pour la première fois ses deux rives, en

Venus de loin ou seulement d'en face, bateaux utilitaires et de croisière se rencontrent devant Québec.

amont de l'embouchure, en inaugurant la série de ponts qui l'enjambent. Les structures jumelles du pont de Québec et du pont Pierre-Laporte témoignent éloquemment, par leur complémentarité, du caractère nodal du site de Québec. La conception technique du premier, originellement affecté au transport ferroviaire, et celle du second, réservé au trafic routier, sont à l'avenant : l'un est le plus long pont cantilever du monde ; et l'autre, le plus long pont suspendu du Québec. Là se croisent les axes routiers et ferroviaires est-ouest et nord-sud. Si Tadoussac, à l'entrée du fjord du Saguenay, est la « porte du Royaume », et Montréal une antichambre des États-Unis, Québec cumule ces deux fonctions, puisque la ville se trouve sur la route qui relie la région du Lac-Saint-Jean à la Nouvelle-Angleterre.

À une tout autre échelle, la ville de Québec est reliée à longueur d'année à Lévis, sa compagne d'en face. Le temps du pont de glace est révolu depuis plus d'un siècle, mais, avec ce goût légèrement rétro des bacs fluviaux, le traversier qu'escortent les voiliers à la belle saison n'hésite pas à affronter les glaces l'hiver venu, une expérience que les Lévisiens travaillant à Québec renouvellent quotidiennement.

À ces contacts physiques que favorisent le site et la situation de Québec, s'ajoutent des contacts d'un autre ordre. Depuis l'inauguration du Centre des congrès en 1996, les rencontres nationales et internationales amènent dans la capitale un nombre sans cesse croissant d'émissaires de tous les continents qui viennent enrichir de leur expérience le patrimoine mondial, dont Québec est un des hôtes. Dans divers coins de la ville, le promeneur croisera le regard de bronze de personnages auxquels le sens politique et le goût pour la

L'aéroport international Jean-Lesage relie Québec aux villes des États-Unis et, selon les saisons, à la France et aux pays du Sud.

culture mondiale des Québécois se sont abreuvés : les monuments à Jeanne d'Arc (il y en a même deux), à Louis XIV, à Simón Bolívar, à Gandhi, à Roosevelt, à Churchill, à de Gaulle, à Bernardo O'Higgins Riquelme (héros de l'indépendance chilienne), à José Artigas (artisan de celle de l'Uruguay), rappellent la vocation internationale de Québec, qui a aussi accueilli les monuments de plusieurs célébrités de la littérature mondiale.

Dominant un axe de communication majeur depuis l'époque précolombienne, point d'arrivée des premiers Européens au Canada, point de départ des conquérants du pays intérieur et point de rencontre de partenaires internationaux, Québec est, dans l'espace-temps, un modèle de ville de communication.

Un échangeur demi-trèfle, qui assure
la fluidité de la circulation automobile,
est entourée de pelouses.
Un clin d'œil à la verte Irlande?

Une ville commerçante

Québec, une ville commerçante? Mais, direz-vous, quelle ville de l'est pas? Québec n'est pas Montréal, certes, et comporte peu de quartiers et de marchés ethniques, peu de magasins d'objets exotiques, bien que, depuis quelques années tout cela pointe le nez. Serait-ce que le Québécois de la capitale ne cherche pas vraiment à se dépayser? Est-ce à dire que Québec n'est qu'un gros village « pur laine »? Pas du tout, même si Québec n'arbore pas le cosmopolitisme de Montréal, tant s'en faut. La capitale n'est pas la métropole et, dans l'ensemble comme dans le détail, les dimensions de Québec sont à l'échelle d'une ville moyenne, accessible, personnalisée, humaine. Cela se manifeste dans ses activités commerciales comme dans bien d'autres domaines. Certains y voient une attitude de ville provinciale. D'autres y décèlent un signe d'authenticité.

Bien sûr, la région métropolitaine de Québec, comme toutes les villes affectées par l'étalement urbain, est aussi ponctuée, à l'orée de ses quartiers-dortoirs, de centres commerciaux où la production en série propose ses marchandises. Mais le *small is beautiful* a encore ses adeptes et les petites boutiques de quartier n'ont pas déserté le centre-ville. Si vous recherchez un peu d'âme au-delà de l'efficacité commerciale, « en descendant la rue Saint-Jean », comme le chante Vigneault, vous trouverez des boutiques à la dimension de la ville, c'est-à-dire intimes, personnalisées, exotiques parfois.

S'instruire, c'est s'enrichir. Est-ce par hasard que le campus de l'Université Laval voisine avec le plus grand ensemble de centres commerciaux de Québec?

de cette activité, on peut assister à des événements comme Plein Art, Les Bouquinistes du Saint-Laurent, Expo Québec, et y trouver des manifestations de l'âme de Québec. Le soleil estival incite aussi les commerçants amateurs à garnir les étals des **marchés aux puces**.

La fin de l'été est soulignée par le **Salon des artisans de Québec** avec ses produits de l'imagination populaire, alors que les centres commerciaux prennent le relais du grand commerce. Dès que les **rues s'illuminent** et se transforment en **couloirs multicolores**, quand les arbres, les fenêtres et les corniches se parent de toutes les couleurs primaires, le coup d'envoi est donné pour la course aux emplettes de Noël. C'est la saison où le commerce fait fortune, à en oublier l'origine de cette fête religieuse. Après le tournant de l'année, cette ruée vers la consommation s'apaisera, les grandes surfaces retrouveront leur calme, mais la chaîne des **dépanneurs**, qui a remplacé cette sympathique institution qu'était le *magasin général,* dont la fonction était si utile à la cohérence sociale, assurera la permanence du petit commerce de proximité au service des **lève-tôt** et des **couche-tard**. Ils portent bien leur nom.

... et vers l'ouest où la fonction résidentielle commence à les relayer.

La bien nommée côte de la Fabrique (elle mène à la fabrique de la paroisse Notre-Dame-de-Québec) regroupe des commerces depuis la fin du XVIIe siècle et constitue une enfilade historique de riche mémoire.

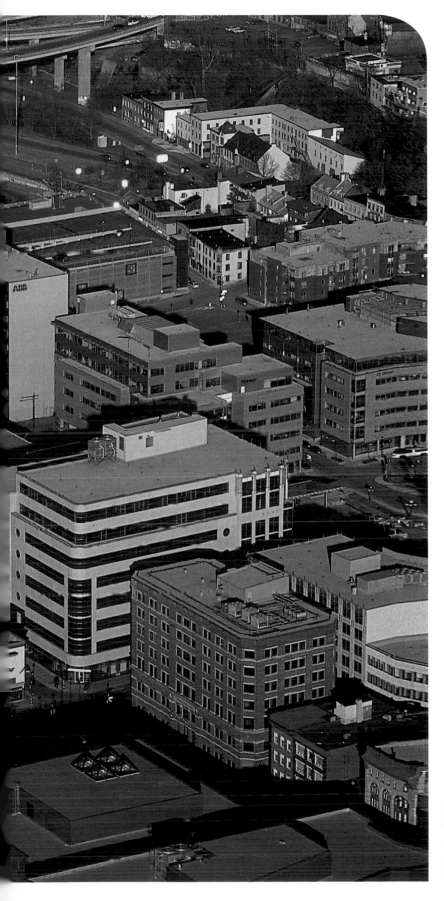

L'église Saint-Roch, pourtant la plus vaste de la ville, semble un peu écrasée par les édifices commerciaux qui l'entourent, mais elle est bien située pour bénir le séjour des touristes qui logent à l'hôtel d'en face.

Les angles droits de leurs rues et le cubisme de leurs édifices font des quartiers de Québec, situés entre l'arrondissement historique et les faubourgs, une ville doublement géométrique.

La dialectique du blé : la structure
verticale des élévateurs à grains du
bassin Louise n'évoque-t-elle pas son
contraire, l'immense horizontalité des
plaines de l'Ouest ?

Une ville touristique

Pour se développer, une ville doit s'enrichir matériellement et culturellement. Économie et culture y ont donc partie liée. L'histoire de Québec a illustré cette complicité en suivant une trajectoire qui a amené une modeste ville provinciale à devenir une destination internationale sanctionnée par des instances de haut niveau. Inscrite sur la liste des villes du **patrimoine mondial de l'UNESCO** en 1985, Québec, inspiré par les normes de qualité de ce mouvement, s'est considérablement embelli depuis lors. Cette reconnaissance constitue un hommage à son passé, mais lui confère aussi la responsabilité de valoriser les éléments de son patrimoine au bénéfice autant de ses résidents que des visiteurs.

Québec possède tout ce qu'il faut pour relever ce défi. Certains éléments-phares représentent éloquemment le caractère monumental de la ville, par exemple, le **Château Frontenac** dont on dit qu'il est l'hôtel le plus photographié au monde ; la **citadelle** et les **murailles** qui constituent le plus important complexe d'architecture militaire en Amérique du Nord ; et les **deux cathédrales**. Mais, au niveau plus modeste de ses maisons, qui se pressent le long des rues étroites, c'est une longue leçon d'histoire qui se déroule sous nos yeux.

Le visiteur attentif décodera facilement le message historique des noms de rues depuis que les autorités municipales en ont indiqué le sens ou l'origine sur

Chaque année, le quartier de la place Royale offre aux Fêtes de la Nouvelle-France un décor que complètent spectacles et costumes.

Fin août, la terrasse Dufferin évoque un quai de la Seine en accueillant des bouquinistes proposant tout ce qui se lit, de la poésie aux encyclopédies, des bédés aux romans.

les plaques qui les identifient. Et il aura pris le temps de s'interroger sur le rôle qu'a joué chacun des vingt-quatre personnages dont les statues décorent la façade de l'Hôtel du Parlement. De plus, il aura sans doute compris les messages historiques des nombreuses murales qui ornent les murs autrefois aveugles de Québec, dont la Fresque des Québécois, admirablement située au pied de la côte de la Montagne, la plus ancienne voie de circulation de Québec, ce trait d'union entre la Haute-Ville et la Basse-Ville. Sur un mur de 420 m², sur fond de paysage en trompe-l'œil où s'étagent les quatre saisons et les deux niveaux de la ville, figurent une quinzaine de personnages qui sont autant de repères historiques balisant les quatre cents ans de la Vieille Capitale.

Certaines fresques évoquent des épisodes particuliers de l'histoire de Québec, comme celle, logiquement située à proximité de l'Hôtel-Dieu, qui retrace l'évolution de la médecine à Québec. Certaines présentent des synthèses de l'histoire locale, par exemple la fresque du Petit-Champlain qui évoque la vie du Cap-Blanc, quartier portuaire et populaire de la Basse-Ville ; et celle de la bibliothèque Lauréat-Vallière, à Saint-Romuald, qui raconte l'histoire et la vie culturelle de l'arrondissement des Chutes-de-la-Chaudière. La douzaine de fresques murales qui égaient les murs de la ville proposent aux touristes intéressés par la grande et la petite histoire des lieux un parcours culturel dont la Commission de la capitale nationale gère le développement.

Par l'éloquence de ses murs et par ses personnages de bronze qui, du haut de leurs socles, parlent en silence, Québec se livre autant aux visiteurs qu'à ses propres citoyens. C'est là une autre manifestation de son hospitalité, règle d'or du développement touristique que pratique Québec, par la large gamme d'activités culturelles et sportives qui, de saison en saison, composent la richesse et la variété de sa programmation. Festival d'été, carnaval d'hiver, salons d'automne et de printemps se relaient pour accueillir écrivains, artistes et penseurs de tous horizons, d'ici et d'ailleurs, et permettre ainsi des échanges qui vont du livre aux technologies, de l'art à la science, de l'histoire à la prospective. Le Centre des congrès, grâce à ces événements, est rarement vide.

Sur un autre plan, on se plaît à dire que la proximité d'un arrière-pays crevé de tant de lacs permet à chaque citoyen de Québec, ou presque, d'avoir le sien. Pour racheter cette sympathique exagération, on peut quand même dire que la nature environnante a été fort généreuse en plaçant Québec dans un écrin de verdure, de reliefs et de pièces d'eau qui offrent aux sportifs un accueil adapté à leurs ébats. La saison estivale s'anime d'une foule d'activités de plein air à faible distance de la ville : canotage, rafting, voile, kayak de mer, planche à voile, pêche, camping, etc. Dans l'agglomération urbaine elle-même, près de 300 kilomètres de pistes cyclables complètent le réseau. D'autres équipements ont permis de domestiquer la saison froide en offrant des espaces appropriés pour le ski de fond, le ski alpin, la luge et le hockey. Mais la nature fait aussi sa part : le Saint-Laurent offre à la fois contrainte, accueil et défi aux concurrents de la traversée hivernale du fleuve en canot, l'activité-vedette, avec le concours international de sculptures sur neige du Carnaval de Québec, un des plus importants de la planète.

Le paysage porte l'empreinte de cette diversité. La constellation de piscines qui, l'été, ponctue la couronne domiciliaire de l'agglomération, est relayée,

L'hiver, à l'ombre du Château Frontenac, depuis plus d'un siècle, la terrasse Dufferin offre aux amateurs de toboggan les émotions d'une glissade à 70 km/h.

l'hiver venu, par un semis de patinoires. Voilà des terrains d'apprentissage pour nos sports nationaux et de préparation à la tenue, ici, de compétitions internationales. L'accueil est à l'avenant : de l'hôtel le plus photographié du monde jusqu'à un hôtel de glace, tous les intermédiaires existent ; ensemble, ils disposent quotidiennement de plus de 12 000 unités d'hébergement. Varié et adapté aux goûts et aux bourses d'une large clientèle, le réseau hôtelier de la région de Québec reçoit, bon an mal an, près de quatre millions de touristes, toutes origines confondues.

Québec a d'ailleurs inspiré des visiteurs célèbres qui n'ont pas manqué d'en louanger les attraits, tels Maurice Barrès, René Bazin, Paul Claudel, André Breton, Charles Dickens, Julien Green, Rudyard Kipling, André Siegfried, Alexis de Tocqueville, Mark Twain. En lisant leurs hommages, on peut conclure que Québec a été à la hauteur de la qualité de ses visiteurs.

Il faut ajouter que l'imagination populaire a pris le relais de ces références et a attribué à Québec une liste impressionnante de surnoms : Gibraltar d'Amérique, nouvelle Édimbourg, berceau de la Nouvelle-France, berceau de l'Amérique française, doyenne des villes de l'Amérique du Nord, Athènes du Canada, Miami du Nord (par référence aux croisières qu'elle accueille), porte de la Presqu'Amérique, capitale de la neige, capitale de la nordicité.

Québec, une des premières capitales touristiques de l'Amérique du Nord ? Qui en douterait ?

Est-ce le canot qui transporte les canotiers ou l'inverse ? Un peu des deux, lors de la traditionnelle course du carnaval d'hiver.

Certains châteaux ne durent qu'une saison... et le peuple, fidèle à son Bonhomme, attend le prochain carnaval.

Le Château Frontenac est, dit-on, l'hôtel le plus photographié au monde, mais sans doute assez rarement sous cet angle.

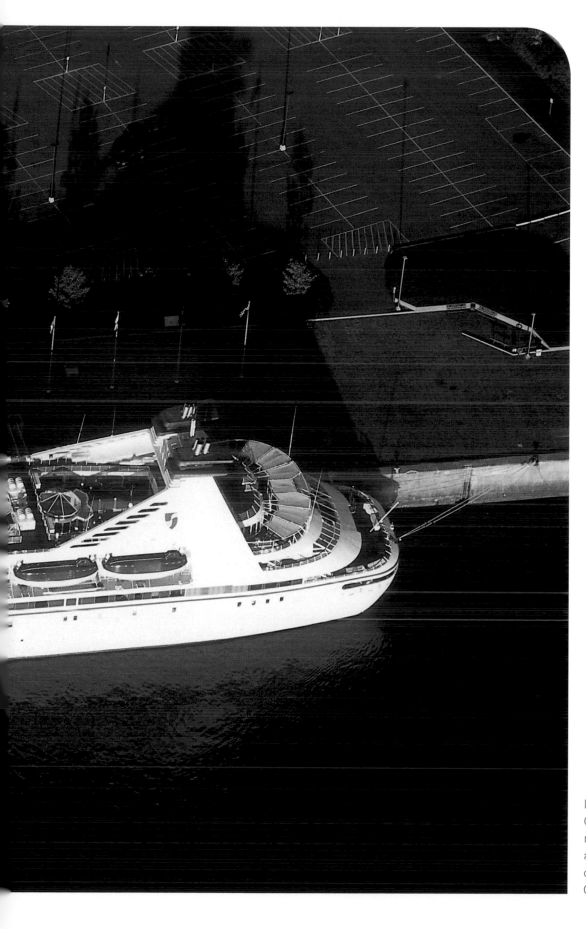

Loin des plages et des palmiers,
Québec attire tout de même un grand
nombre de navires de croisière qui
accostent à quelques mètres du site
où se trouvait autrefois l'Abitation de
Champlain, fondateur de Québec.

Une ville de savoir

Une ville de culture

La culture d'une ville s'épanouit à la confluence du temps et de l'espace. Les quatre siècles d'existence de Québec ont accumulé une mémoire riche de cultures successives dont les manifestations sont multiples. Il faut dire que le poids des présences française et britannique a largement effacé les vestiges de la présence **amérindienne**, bien qu'on en retrouve des traces, surtout si l'on observe le territoire à travers la lunette archéologique. À **Wendake**, les Hurons-Wendat ont reconstitué un ancien village où la culture et le savoir-faire amérindiens sont illustrés. On ne doit pas oublier que le premier signe identitaire de Québec, à savoir son nom, est amérindien.

L'empreinte des cultures française et britannique se retrouve par ailleurs profondément inscrite dans les pierres que les architectes, maçons et charpentiers ont agencées pour construire la ville. Les leçons d'histoire que livre la variété

Pages précédentes: Aux trois ailes blanches du Séminaire, un des joyaux architecturaux de la Nouvelle-France, on a ajouté d'autres parties pour compléter le complexe éducatif issu de la volonté de Mgr de Laval.

La cour du Petit Séminaire, fondé en 1663, a une longue mémoire. Deux éléments sont inscrits dans ses pavés: la localisation de la maison de Louis Hébert et de son puits.

architecturale de Québec fait de celle-ci un riche réservoir de culture. De précieux souvenirs historiques émanent des maisons anciennes, même si les années ont modifié leurs fonctions. La rue Saint-Louis présente à cet égard une synthèse architecturale intéressante, reflétant les cultures française et britannique. À quelques dizaines de mètres de distance, les maisons Maillou (qui abrite aujourd'hui la Chambre de commerce de Québec) et Jacquet (devenue le restaurant Aux Anciens Canadiens) sont de facture française, alors que les maisons Racey (maintenant un hôtel) et Kent (occupée par le Consulat général de France) sont de facture britannique.

D'autres rues partagent cette richesse : dans la Grande Allée, que les Québécois ont fièrement surnommée les Champs-Élysées de la capitale, se trouvent les maisons historiques jadis habitées par Louis-Alexandre Taschereau, premier ministre du Québec, et Louis Saint-Laurent, premier ministre du Canada. L'une renferme maintenant des bureaux et l'autre, un musée, comme celle où résida l'historien François-Xavier Garneau, maison-musée intra-muros.

Le rôle historique de Québec dans le développement du savoir et de la culture se manifeste éloquemment dans ses institutions dont la longévité rime avec la modernité. La ville n'avait pas cinquante ans lorsque furent fondées les deux premières et vénérables maisons d'enseignement, l'une pour filles (le couvent des Ursulines) et l'autre pour garçons (le Petit Séminaire). Issue du Séminaire de Québec, l'Université Laval, la doyenne des universités canadiennes, exerce aujourd'hui sa mission à la fois dans l'ensemble patrimonial de sa maison mère, sise dans le Vieux-Québec, et, depuis un demi-siècle, dans son campus de Sainte-Foy. L'Université du Québec est également

Il y a un demi-siècle, l'Université Laval amorçait son déménagement du Vieux-Québec vers Sainte-Foy, à une dizaine de kilomètres à l'ouest, où se trouve maintenant son vaste campus.

présente, d'abord par son siège social, mais aussi par une de ses plus importantes constituantes, l'ÉNAP. Pourrait-on imaginer une capitale sans une École nationale d'administration publique? Fonction administrative oblige.

Comme toute ville de culture, Québec a établi un dialogue vivant entre culture historique et culture artistique. Cette vocation s'exprime autant dans l'espace occupé par des institutions que par des événements qui, chacun à sa manière, font le lien entre la tradition et l'innovation. Pour réaliser cette heureuse complicité, Québec s'est pourvu d'équipements à la hauteur de sa mission de capitale culturelle. Deux musées nationaux, le Musée national des beaux-arts et le Musée de la civilisation, illustrent la richesse culturelle du Québec grâce à leur complémentaire complicité. Une cinquantaine d'autres musées et centres d'interprétation composent un large éventail de lieux où s'exhibe la culture dans tous ses états.

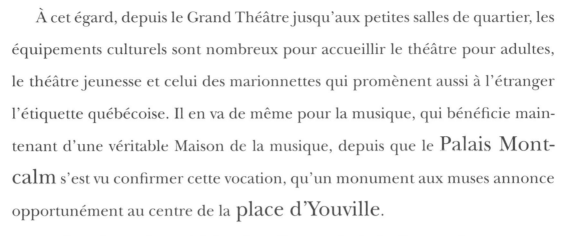

À cet égard, depuis le Grand Théâtre jusqu'aux petites salles de quartier, les équipements culturels sont nombreux pour accueillir le théâtre pour adultes, le théâtre jeunesse et celui des marionnettes qui promènent aussi à l'étranger l'étiquette québécoise. Il en va de même pour la musique, qui bénéficie maintenant d'une véritable Maison de la musique, depuis que le Palais Montcalm s'est vu confirmer cette vocation, qu'un monument aux muses annonce opportunément au centre de la place d'Youville.

On sait que les activités culturelles sont le fruit d'une patiente maturation qu'assument les conservatoires de musique et d'art dramatique, de même que les écoles de cinéma et de cirque. De quoi alimenter divers festivals, dont le Festival d'été qui reçoit des artistes de tous horizons, contribuant à faire de Québec un forum culturel de calibre international.

L'accueil que réserve Québec aux cultures du monde s'est aussi matérialisé par l'hommage rendu à des écrivains-phares, tels Dante Alighieri, Alexandre Pouchkine, José Martí, Juan Montalvo, Nguyen Trai, dont les monuments ornent la ville. Et les Québécois peuvent goûter les œuvres littéraires dans l'une ou l'autre des vingt-cinq bibliothèques publiques. Pour sa part, le Salon international du livre, qui attire chaque printemps quelque 40 000 visiteurs, accueille de nombreux auteurs et éditeurs étrangers, en plus de ceux du Québec.

Autour des quelques moments forts qui ponctuent ses saisons, Québec ne tarit pas d'inspiration pour célébrer l'esprit du lieu, un lieu de culture.

Le sculpteur Jordi Bonet a doté le pavillon des Sciences de l'Université Laval d'une murale inspirante, *L'homme devant la science,* ajoutant du mouvement à l'architecture géométrique du campus.

144

En 1988, un édifice dont les lignes modernes s'intègrent bien au quartier du Vieux-Port remplaçait un vulgaire stationnement. Le Musée de la civilisation présentait alors une approche muséologique tout à fait nouvelle, qui a fait école.

Le Musée national des beaux-arts du Québec reçoit des expositions de prestige et met en valeur des œuvres des trois mille artistes et artisans de sa collection permanente.

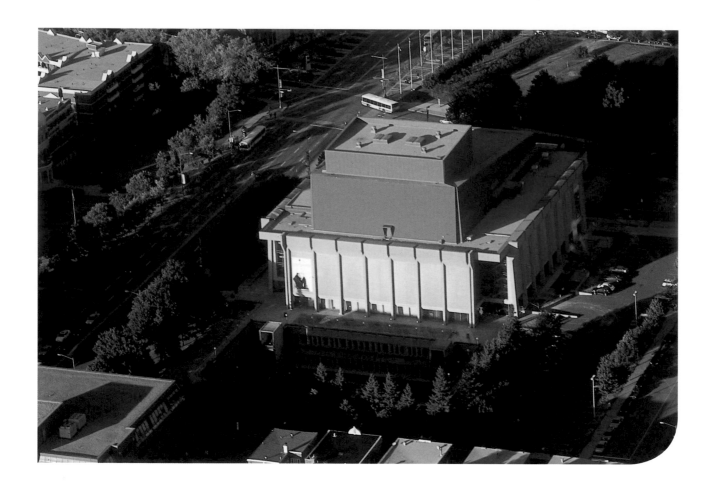

C'est au Grand Théâtre que les grands noms
de la scène nationale et internationale viennent satisfaire
les goûts artistiques des citoyens de la Vieille capitale.

Récemment rénové de fond en comble, le Palais Montcalm
est devenu à cette occasion la Maison de la musique.
Son impressionnante qualité acoustique est à la
hauteur de la renommée de ses hôtes.

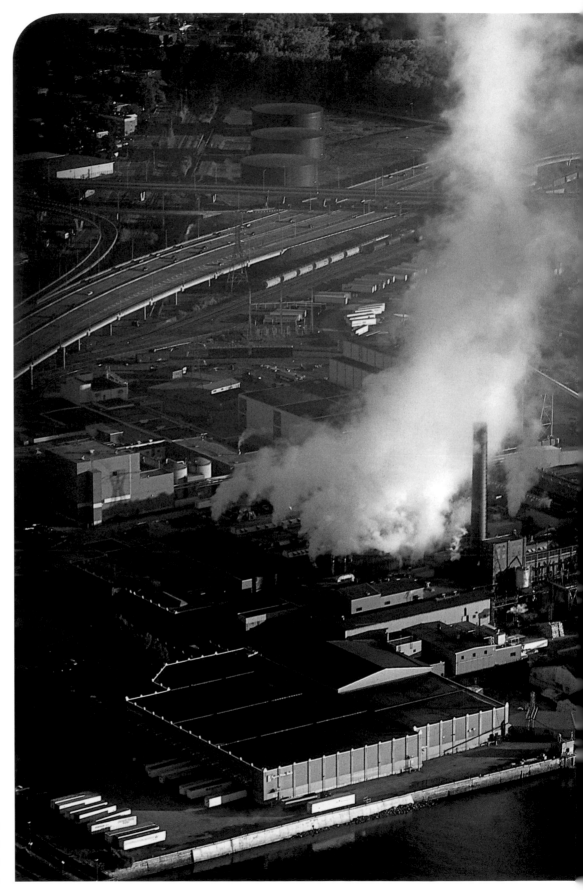

L'un des plus importants employeurs de la région de Québec, l'usine de papeterie Stadacona, arbore son panache, visible de loin.

Une cathédrale, un gratte-ciel, une tour de guet? Non. Plutôt la preuve que l'architecture industrielle peut avoir du style.

On ne traite pas le bois sans produire de la sciure. Mais, comme rien ne doit se perdre, l'industrie lui connaît aujourd'hui de multiples usages.

Imagine-t-on spontanément que
des grues mécaniques peuvent
receler un grain de poésie?
Pourtant, vues de haut, les activités
du port créent une large gamme
de formes et de couleurs.

Entre la rivière Saint-Charles
et le versant nord de la Haute-Ville
sont regroupées bon nombre
de petites et moyennes entreprises
qui forment la principale zone
industrielle de Québec.

Une ville à vivre

Une ville résidentielle

Certains *simplificateurs d'espaces* ont dit que toutes les villes nord-américaines sont construites selon le même schéma: un *Central Business District*, pour reprendre l'expression consacrée par les géographes urbains, entouré de cités-dortoirs où règnent les maisons individuelles et les immeubles d'habitation. Cela est de moins en moins vrai en général, et l'est assez peu pour Québec. Sa géographie et son histoire expliquent pourquoi habiter la Vieille Capitale, ce n'est pas comme habiter ailleurs. D'abord, le site de Québec impose des ruptures qu'ignorent les villes de plaine. La Haute-Ville est entourée d'une **trentaine de côtes**, ces rues pentues qu'adorent les amants du pittoresque mais qu'exècrent les automobilistes l'hiver, et d'autant d'escaliers pour la santé des piétons auxquels un **funiculaire** est venu à la rescousse dès 1879.

Pages précédentes: Pour le bien-être, la santé et le loisir de ses citadins, Québec possède, outre son poumon principal que sont les plaines d'Abraham, plusieurs parcs dans tous les quartiers.

La densification de l'habitat urbain favorise la dimension verticale, laissant aux banlieues les problèmes causés par leur expansion horizontale.

Là-haut, les murailles du Vieux-Québec marquent une autre frontière dans le tissu urbain. Les rues intra-muros ont suivi les caprices des sentiers, puis des chemins que piétons, cavaliers et âniers avaient dès l'origine gravés sur le terrain. Mais, dès que la ville s'est répandue hors les murs, les urbanistes de la première heure ont imposé un plan en damier qui s'est déployé dans la seule direction ouverte, c'est-à-dire vers l'ouest. Puis, au milieu du siècle dernier, l'ère de l'angle droit a fait place au culte de la ligne courbe qui caractérise plusieurs quartiers résidentiels nés à cette époque.

Le plan en damier a caractérisé plus longtemps la Basse-Ville qui a même adopté le système de rues et d'avenues perpendiculaires numérotées propre aux villes américaines. Aux édifices jointifs du centre-ville, de la Basse-Ville et de quelques-unes des « rues principales » des municipalités périphériques, et aux maisons individuelles dont le nombre a contribué à l'étalement urbain, s'est ajoutée la solution intermédiaire des grands immeubles d'habitation qui ont donné aux quartiers-dortoirs une physionomie nouvelle. Par ailleurs, la fusion d'une dizaine de municipalités pour former, en 2002, la nouvelle grande ville de Québec a doté celle-ci d'autant de petits centres-villes qui continuent à dispenser les services de proximité.

Le résident de Québec a donc le choix entre plusieurs manières de vivre sa ville : s'installer à même l'animation des trottoirs ou admirer sa ville ou le fleuve du haut de son énième étage ; partager des murs mitoyens avec ses voisins ou entourer son pavillon familial de haies de cèdres ; se rapprocher ou s'éloigner de l'un ou l'autre des centres-villes. Il peut même, si le cœur lui en dit, se donner l'impression qu'on a réussi à réaliser le vœu de l'humoriste français

Les Jardins Mérici, luxueux complexe résidentiel bâti au bord du cap Diamant, offre aux retraités et autres copropriétaires fortunés un environnement soigné.

Alphonse Allais, de « déménager la ville à la campagne », car la nouvelle ville a intégré dans son territoire des **lambeaux de paysages ruraux**. Québec, une ville à vivre… selon ses goûts et ses valeurs.

Une église au centre d'un carré
d'où rayonnent des dizaines de rues
formant une grande toile d'araignée,
voilà Charlesbourg, un exemple
cadastral aussi original qu'ingénieux.

Québec est entouré de cités-dortoirs
où chaque propriété possède
sa pelouse et ses quelques arbres
ou arbustes ornementaux. Et la ville
de s'étendre...

La santé a ses exigences...
architecturales. L'hôpital Saint-
François-d'Assise, qui dispense
des soins spécialisés de courte durée,
est aussi un important centre
de recherche et d'enseignement.

Érigé en 1901 pour desservir la
population anglophone de Québec,
l'ancien hôpital Jeffery-Hale, de
même que l'Université Laval, s'est
déplacé vers l'ouest en élargissant sa
clientèle. Ses anciens locaux ont été
convertis en immeuble résidentiel.

Les jeux ne sont pas faits : il reste un demi-tour de piste à compléter avant de repasser devant le public et de franchir la ligne d'arrivée.

L'hiver, la course, c'est sur patins. Et il faut des pistes. Pour ménager l'espace, on resserre les courbes et cela donne un parcours en va-et-vient.

Les véhicules à traction animale ont déserté les chemins et les rues du Québec depuis longtemps. Mais le tourisme et le loisir ont pris le relais et les randonnées en traîneau sont encore populaires.

Une ville géométrique

Toute ville a une géométrie qui lui est propre, une géométrie qui varie dans l'espace et dans le temps. Si, à Québec comme dans la majorité des villes des Amériques, l'angle droit a eu son heure de gloire, il n'en a pas toujours été ainsi. Dès les commencements, la topographie de cette ville à deux étages a imposé, pour racheter les dénivellations entre la Haute-Ville et la Basse-Ville, des rues qui serpentent sur les pentes. Aussi, au sommet, les sentiers que les pas des premiers occupants avaient gravés dans le sol sont-ils devenus des rues qui en ont gardé les tracés capricieux. En contrebas, les chemins resserrés entre cap et fleuve ont dû se conformer aux caprices de la rive.

Lorsque, au XIXe siècle, les champs et les terrains vagues se sont offerts à l'expansion de la ville, les urbanistes de l'époque ont alors tracé les avenues en axes méridiens (du sud au nord) et les rues selon l'axe est-ouest. Puis, après la Seconde Guerre mondiale, la ligne courbe a fait son apparition, question de personnaliser les nouveaux quartiers. Ainsi, le plan de la ville révèle au premier regard l'âge de ses différents quartiers. Il faut ajouter que la géométrie de la ville s'est aussi manifestée verticalement, selon les modes et parfois les caprices de l'architecture.

Sans cette rue diagonale, poétiquement appelée Chemin de la Canardière, le damier de la Basse-Ville serait parfait.

Partout, la ville gruge la campagne.
Mais celle-ci réagit en venant
s'installer discrètement dans
le tissu urbain sous forme de
jardins communautaires,
en imitant la géométrie de la ville.

Les jardins du Bois-de-Coulonge, sur
l'emplacement de l'ancienne
résidence du lieutenant-gouverneur,
encadrent les pas des promeneurs
dans un dessin parfaitement
géométrique.

L'eau et la puissance qu'elle représente trônent devant la gare du Palais (sculpture de Charles Daudelin) et devant le Parlement (la déjà célèbre fontaine de Tourny).

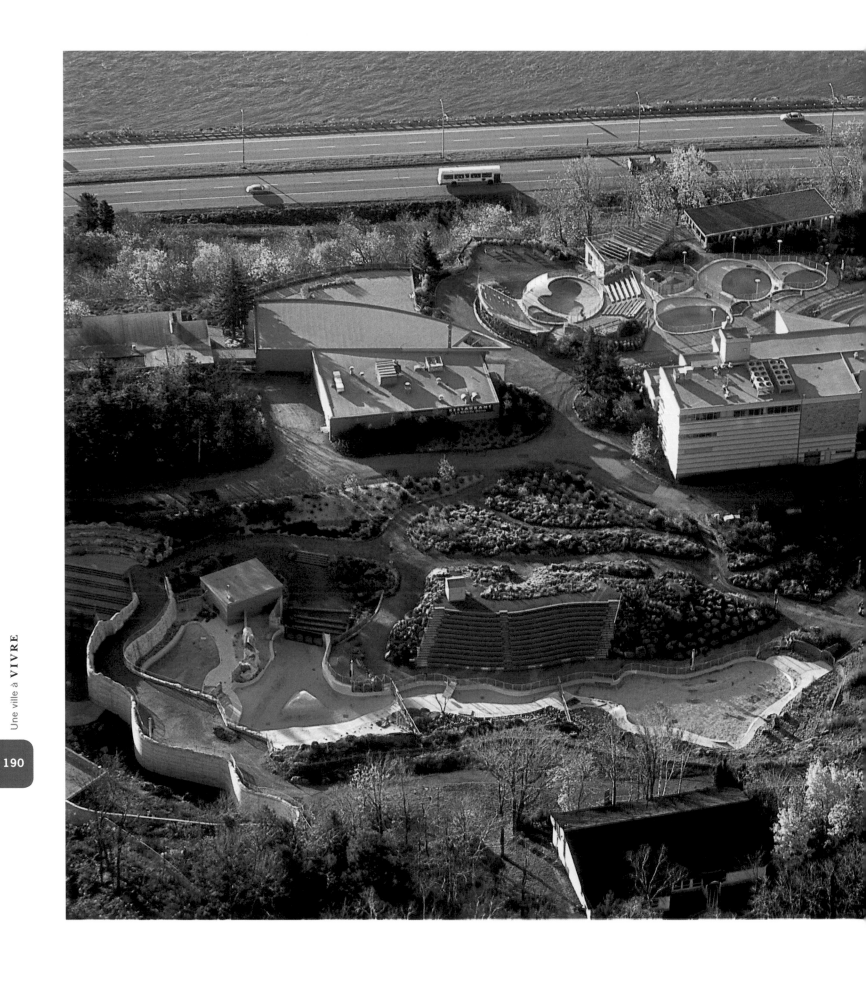

Au Parc Aquarium du Québec,
la faune et la flore nordiques sont
exposées dans un complexe où
formes et couleurs se déploient
dans une harmonieuse présentation
des hôtes de ce pays d'eau qu'est
le Québec.

On peut vivre en ville et avoir un bout de forêt dans sa cour, comme ces citoyens de la rue du Petit-Champlain qui longe le bas du cap Diamant. Mais il faut être alpiniste pour en profiter.

Une ville à VIVRE

Parmi les plaisirs des sens
que propose Expo Québec,
celui des yeux tient aux couleurs
des stands et des pavillons.

Dans le blanc, tout se fond :
les formes tout autant que les
couleurs. Le « pain de sucre » qui
se forme l'hiver au pied de la chute
Montmorency l'illustre bien.

Remerciements

Les auteurs remercient Pierre Bourdon, Erwan Leseul, Pascale Mongeon et Diane Denoncourt qui ont suivi avec attention l'élaboration de cet ouvrage. Merci aussi à la talentueuse graphiste Josée Amyotte et à la patiente Mélanie Sabourin qui a numérisé toutes les images.

Pierre remercie spécialement Joël Bounadère, Marie-Pier Paillard, Brigitte Paquette-Raymond, Laurie Plamondon, Hugo Roy, Jean-François Sénéchal, Patrick Simard et une mention toute particulière au talent et à la générosité du pilote neurochirurgien Daniel Lacerte. Ils ont tous contribué à la qualité visuelle de ce livre.

Henri remercie Renée Hudon, sa première lectrice et sage conseillère.

Table des matières

Au revoir, cher visiteur !

Au revoir, Québec !

Achevé d'imprimé au Canada
sur les presses de Quebecor World Saint-Jean